D0179061

ROTS, PETS et PETITS BRUITS

de **Angèle Delaunois**

illustré par **François Thisdale**

Déjà parus dans la collection Ombilic:

GRAND MÉCHANT RHUME !

ENVIE DE PIPI !

OUILLE MES OREILLES !

ROTS, PETS ET PETITS BRUITS

Titres à venir:

S.O.S. ALLERGIES !

MANGER BIEN, C'EST BIEN MIEUX !

DES BELLES DENTS TOUT LE TEMPS

POUX, PUCES ET AUTRES INDÉSIRABLES

UN ORDI DANS MA TÊTE

POURQUOI DES LUNETTES ?

À Andrée Crépeau,
la championne à moto.

TON CORPS FONCTIONNE SANS ARRÊT, MÊME QUAND TU DORS. TES ORGANES ONT TOUT LE TEMPS QUELQUE CHOSE À FAIRE PARCE QUE TU RÊVES, TU BOUGES, TU GRANDIS, TU MANGES, TU RESPIRES... ET LORSQU'IL EST AU TRAVAIL, TON CORPS EST COMME UN ORCHESTRE. CHAQUE BRUIT QU'IL ÉMET EST UN MESSAGE QUI VEUT DIRE QUELQUE CHOSE.

PLUSIEURS DE CES BRUITS AMUSANTS SONT CAUSÉS PAR TON SYSTÈME DIGESTIF. TOUS LES ALIMENTS ET LES BOISSONS QUE TU AVALES SE RETROUVENT DANS TON ESTOMAC, UNE SORTE DE GROSSE POCHE AU MILIEU DE TON VENTRE. ILS Y RESTENT DE DEUX À TROIS HEURES. PENDANT CE TEMPS, ILS SE TRANSFORMENT EN BOUILLIE ET FERMENTENT. C'EST CE QU'ON APPELLE LA DIGESTION.

PARMI LES BRUITS QUE TU CONNAIS BIEN, IL Y A LE HOQUET. PARFOIS, SANS LE FAIRE EXPRÈS, TU CONTRACTES DES MUSCLES SPÉCIAUX SITUÉS ENTRE TES CÔTES. CETTE CONTRACTION PROVOQUE LA FERMETURE DE TON ÉPIGLOTTE, UNE PETITE PORTE SITUÉE DANS TA GORGE, QUI EMPÊCHE D'AVALER DE TRAVERS. C'EST ÇA QUI PRODUIT LE HIC! QUE TU CONNAIS BIEN.

épiglotte

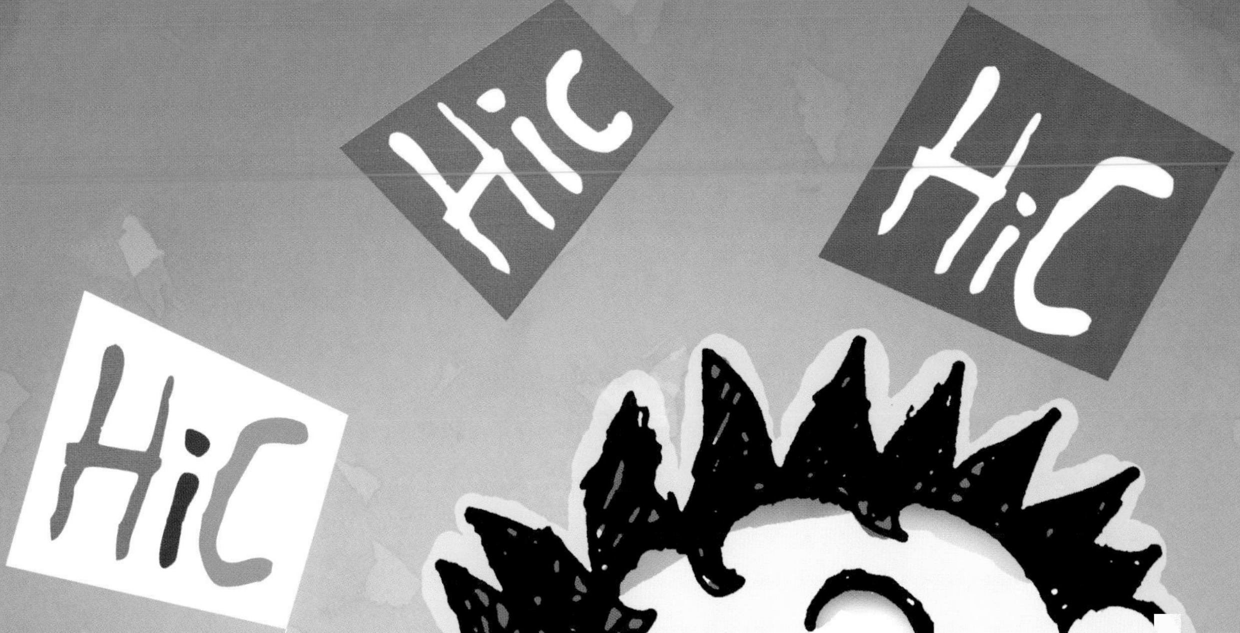

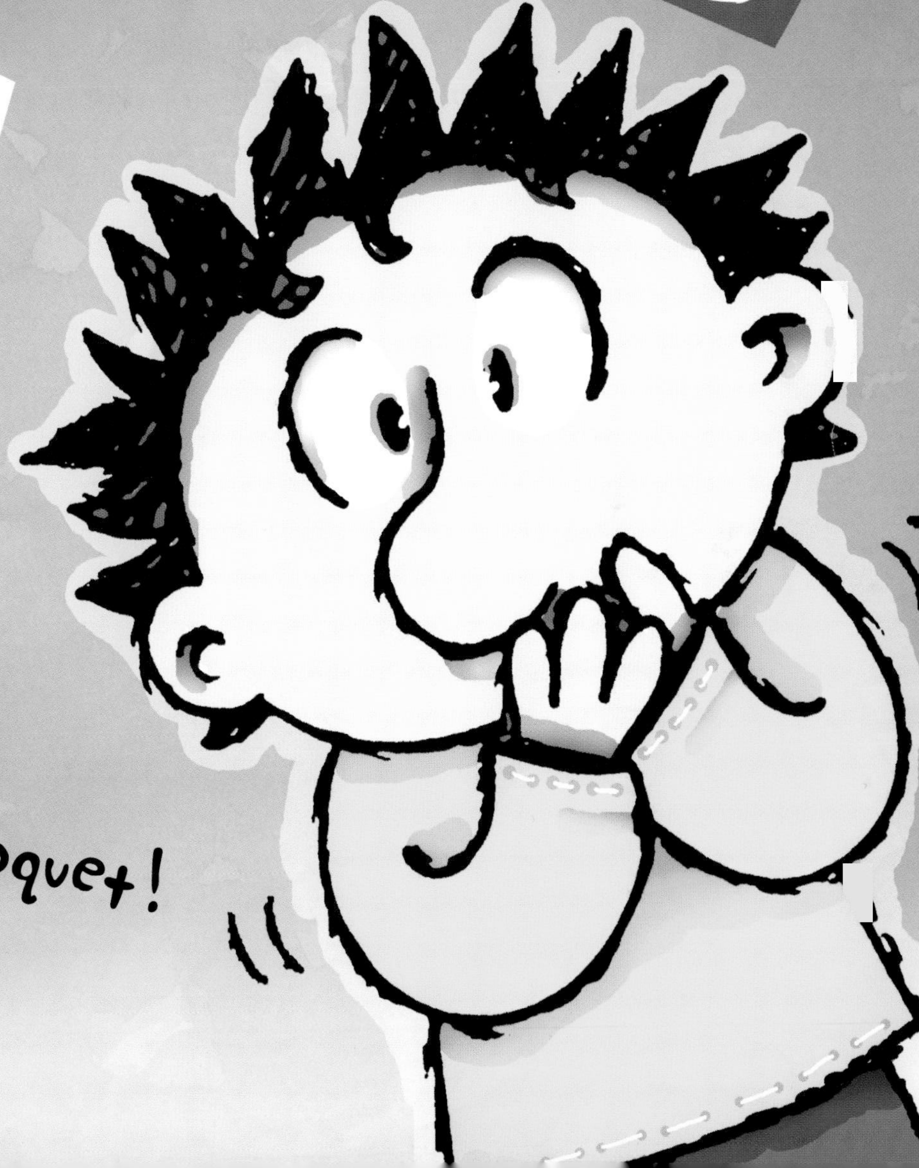

Je déteste
avoir le hoquet!

J'AI LE HOQUET LORSQUE JE MANGE BEAUCOUP OU TROP VITE, QUAND J'AVALE TROP D'AIR EN MANGEANT OU EN BUVANT – AVEC UNE PAILLE, PAR EXEMPLE –, OU BIEN QUAND JE BOIS DES SODAS PLEINS DE BULLES OU DES BOISSONS TRÈS CHAUDES OU TRÈS FROIDES.

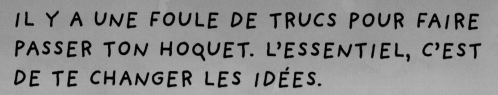

IL Y A UNE FOULE DE TRUCS POUR FAIRE PASSER TON HOQUET. L'ESSENTIEL, C'EST DE TE CHANGER LES IDÉES.

TU PEUX :
TIRER FORT SUR TA LANGUE,
BOIRE À L'ENVERS,
AVALER PLUSIEURS VERRES D'EAU,
ÉTERNUER EN RESPIRANT DU POIVRE,
RETENIR TA RESPIRATION EN TE BOUCHANT LE NEZ,
SUCER UN BONBON OU UN GLAÇON,
RESPIRER DANS UN SAC EN PAPIER,
PENSER À UNE ROSE.

IMAGINE UNE
GROSSE BULLE
QUI REMONTE
DANS TA GORGE.
CETTE BULLE EST
UN MÉLANGE
D'AIR ET DE GAZ
PRODUIT PAR LA
FERMENTATION
DES ALIMENTS
QUI SE TROUVENT
DANS TON ESTOMAC.
LES ROTS LAISSENT
SOUVENT UN MAUVAIS
GOÛT DANS LA BOUCHE.
C'EST NORMAL!

gorge

TOUT LE MONDE ROTE PLUSIEURS FOIS PAR JOUR.
PARFOIS, ON NE S'EN REND MÊME PAS COMPTE.

ON ROTE POUR LES MÊMES RAISONS QU'ON A LE
HOQUET. LA PLUPART DU TEMPS, C'EST POUR
EXPULSER L'AIR ACCUMULÉ DANS L'ESTOMAC ET
ÉVITER AINSI D'AVOIR MAL AU VENTRE. CELA
ARRIVE SURTOUT QUAND ON MANGE TROP OU TROP
VITE. ATTENTION AUSSI À LA GOMME À MÂCHER ET
AUX BULLES DES BOISSONS
GAZEUSES! L'AIR AVALÉ
AINSI VA VOULOIR
RESSORTIR...

CERTAINS JOURS, TON VENTRE GARGOUILLE ET FAIT DES GLOUGLOUS PLUTÔT RIGOLOS. ON LES APPELLE DES BORBORYGMES. CE N'EST PAS GRAVE DU TOUT! CES BRUITS SONT CAUSÉS PAR LES MOUVEMENTS DE TON INTESTIN LORSQU'IL TRAVAILLE, OU ENCORE PAR L'AIR ET LES LIQUIDES CONTENUS DANS TON ESTOMAC. LE MATIN, LORSQUE TON ESTOMAC EST VIDE, IL GARGOUILLE POUR TE RAPPELER QUE TU AS FAIM.

CROUIC

CROUIC

LORSQUE TON ESTOMAC A FINI DE TRANSFORMER LES ALIMENTS EN BOUILLIE, CELLE-CI DESCEND DANS TON INTESTIN GRÊLE. ENSUITE, TOUT CE QUI N'A PAS ÉTÉ UTILISÉ POUR NOURRIR TON CORPS SE RETROUVE DANS TON GROS INTESTIN.
C'EST LÀ QUE SE FORMENT LES PETS.

estomac

gros intestin

intestin grêle

Les gens distingués disent qu'ils ont des flatulences... mais c'est la même chose que les pets! C'est normal de péter. Tout le monde le fait. Savais-tu que les gens pètent en moyenne quatorze fois par jour?

Ça fait beaucoup de prout, tout ça!

LE PET EST UNE PETITE POCHE DE GAZ QUI SE FORME DANS TON GROS INTESTIN À CAUSE DE LA FERMENTATION DES ALIMENTS ET DE L'AIR QUI S'Y TROUVENT. LORSQU'IL Y A TROP DE GAZ, TON VENTRE EST TENDU COMME UN BALLON ET TU PEUX MÊME AVOIR DES CRAMPES. RÉSULTAT, TU POUSSES POUR FAIRE SORTIR LES PETS PAR L'ANUS, LE PETIT TROU ENTRE LES FESSES PAR LEQUEL PASSENT LES CROTTES.

POuEt

PLUSIEURS ALIMENTS PROVOQUENT DAVANTAGE DE PETS QUE LES AUTRES. LES FÈVES ET LES HARICOTS SECS, LES LÉGUMES DE LA FAMILLE DU CHOU, LES OIGNONS, LES PETITS POIS ET LES FRIANDISES TRÈS SUCRÉES SONT LES CHAMPIONS DES PETS.

Il y a toutes sortes de pets: des pets secs,
des pets en trompette, des pets
discrets, des pets qui puent,
des pets qui ne sentent rien,
des pets qui sortent tout seuls,
des pets en rafale...

Attention c'est parti !

PARFOIS, TU ES CONSTIPÉ. TU NE FAIS PAS CACA DURANT PLUSIEURS JOURS. TES CROTTES DEVIENNENT DURES PARCE QUE TON INTESTIN ABSORBE L'EAU QU'ELLES CONTIENNENT. PLUS ELLES RESTENT LONGTEMPS DANS TON VENTRE, PLUS IL Y A DE LA FERMENTATION ET PLUS TU FABRIQUES DE PETS.

POUR FACILITER MA DIGESTION ET ÉVITER LA CONSTIPATION, J'ADOPTE DE BONNES HABITUDES : JE MANGE DE TOUT, EN QUANTITÉ RAISONNABLE, JE PRENDS LE TEMPS DE BIEN MASTIQUER MES ALIMENTS, JE N'ABUSE PAS DES BOISSONS GAZEUSES, DE LA GOMME À MÂCHER, DES ALIMENTS TROP ÉPICÉS, TROP GRAS OU TROP SUCRÉS, JE N'OUBLIE PAS DE BOIRE, CAR C'EST IMPORTANT DE RENOUVELER L'EAU DE MON CORPS.

OH, UN DERNIER TRUC! APRÈS LES REPAS, AU LIEU DE T'ASSEOIR DEVANT LA TÉLÉ OU L'ORDI, BOUGE UN PEU. TU VAS DIGÉRER BEAUCOUP MIEUX ET CE SERA BON POUR TON ESTOMAC, TES INTESTINS ET TES PETITS BRUITS!

Direction éditoriale : Angèle Delaunois
Direction artistique : Gérard Frischeteau
Édition électronique : Conception Grafikar
Révision linguistique : Odile Dallassera

Dépôt légal : 2ᵉ trimestre 2005
Bibliothèque nationale du Québec
Bibliothèque nationale du Canada
Éditions de l'Isatis inc.

Nos plus sincères remerciements à Andrée Crépeau, M.D. pour son temps, ses précisions et sa gentillesse.

Catalogage avant publication de Bibliothèque et Archives Canada

Delaunois, Angèle
    Rots, pets et petits bruits
    (Collection Ombilic ; 4)
    Pour enfant de 4 à 8 ans

    ISBN 978-2-923234-40-3 (reliure allemande)

    1. Gaz gastro-intestinaux - Ouvrages pour la jeunesse. 2. Hoquet - Ouvrages pour la jeunesse.
    3. Éructation - Ouvrages pour la jeunesse. I. Thisdale, François, 1964- . II. Titre. III. Collection.
RC801.D44 2005   j616.3'3   C2005-940445-0

SODEC Nous remercions le Gouvernement du Québec
Québec ■ Programme de crédit d'impôt pour l'édition de livres – Gestion SODEC

Conseil des Arts   Canada Council Nous remercions le Conseil des Arts du Canada de l'aide
du Canada   for the Arts   accordée à notre programme de publication.

ÉDITIONS DE L'ISATIS   isatis

4829, avenue Victoria
MONTRÉAL - H3W 2M9
www.editionsdelisatis.com
imprimé au Canada

Distributeur au Canada : Diffusion du livre Mirabel